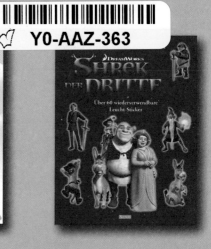

Unverbindliche Covergestaltung

DreamWorks
SHREK DER DRITTE™

Das Buch zum Film

Nacherzählt von Alice Cameron
Illustrationen von Larry Navarro

„Mach dich bereit, Ungeheuer, das Reich der Schmerzen zu betreten!", donnerte Prinz Charming.

„Grrrrr!", brummte ein Schauspieler in einem Oger-Kostüm, der auf die Bühne stapfte. Das Publikum applaudierte heftig, und der verärgerte Prinz Charming hatte Mühe, sich zu konzentrieren.

Die Zuschauer verspotteten Charming, lachten und warfen mit Tomaten.

So habe ich mir das nicht vorgestellt!, dachte Charming. Er sollte doch der Sieger sein, die Prinzessin erobern, ins Schloss einziehen und von den Untertanen verehrt werden. Aber er stand nur als Schauspieler auf der Bühne eines drittklassigen Vorstadttheaters ...

3

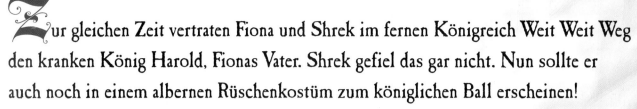

Zur gleichen Zeit vertraten Fiona und Shrek im fernen Königreich Weit Weit Weg den kranken König Harold, Fionas Vater. Shrek gefiel das gar nicht. Nun sollte er auch noch in einem albernen Rüschenkostüm zum königlichen Ball erscheinen!

„Ich weiß nicht, wie lange ich das noch aushalte, Fiona", klagte Shrek.

Und dann spürte er ein furchtbares Jucken – am Hinterteil! Als er sich kratzte, riss sein Gürtel, flog durch den Saal und traf Esel.

Esel taumelte gegen eine Dame, die ihn gegen einen Wächter schubste. Der Wächter ließ seine Axt fallen, die eine Vase umriss. Das Wasser floss über Fiona. Dann stolperte Shrek auch noch über eine lose Bodendiele und katapultierte einen Pagen durch die Luft.

Das Fest war gründlich verdorben!

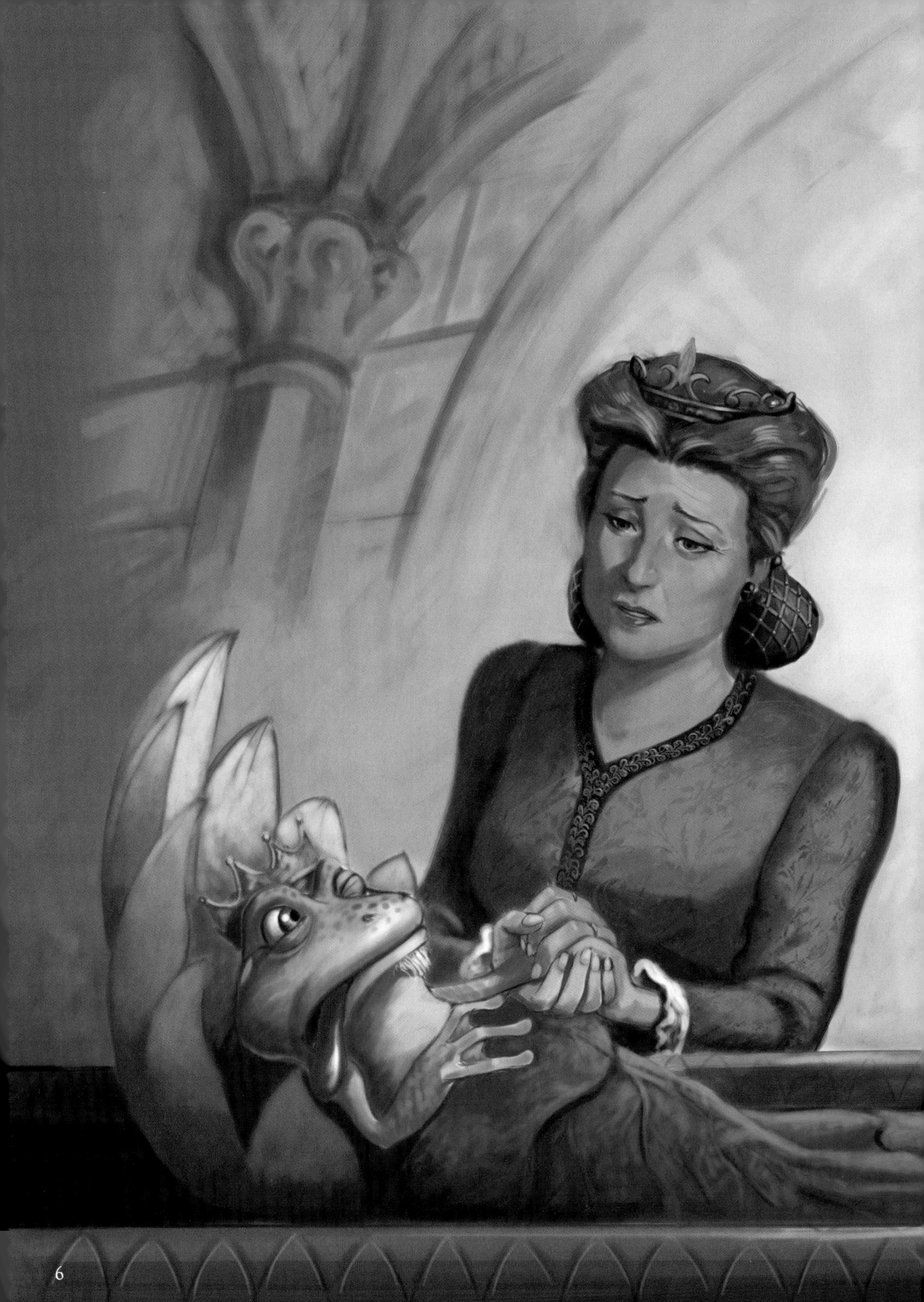

enig später wurden Shrek und Fiona zum König gerufen.

„Ich werde bald sterben", sagte König Harold.

Aber es gab noch etwas zu erledigen. „Das Reich braucht einen neuen König. Du und Fiona, ihr seid die nächsten Thronerben", sagte der König.

Was, König? Shrek wollte auf keinen Fall König werden! Er wollte wieder zurück in seinen stinkenden Sumpf! Nein, es musste doch noch einen anderen Thronerben als ihn geben. Und es gab tatsächlich jemanden, Fionas Cousin. Nachdem der König verraten hatte, dass der Cousin Arthur hieß, starb er.

Obwohl der geliebte König von Weit Weit Weg gestorben war, lief alles im Gasthaus Zum Vergifteten Apfel weiter wie gewohnt. Bis ein unerwarteter Besucher eintrat ...

Prinz Charming hatte einen üblen Plan. Er wollte sich mit den Märchenbösewichten verbünden. Er wusste, dass auch sie sich ungerecht behandelt fühlten und mehr vom Leben erwarteten. Darum wollte er sie auf seine Seite bringen.

„Irgendjemand hat beschlossen, dass *wir* die Verlierer sein sollen. Aber jede Geschichte hat zwei Seiten, und unsere Seite ist noch nie erzählt worden. Also, wer will mit mir seine Geschichte zu einem guten Ende bringen?", fragte Charming. Die Bösewichte jubelten! Charmings Rechnung war aufgegangen. Sie würden ihm helfen, Weit Weit Weg zu erobern.

Shrek war fest entschlossen, kein König zu werden und bereitete sich mit Esel und dem Gestiefelten Kater auf die Reise vor. Sie mussten doch Arthur finden!

Am Hafen verabschiedete sich Esel von seiner Drachenfrau und ihren kleinen Dreseln. Auch Fiona war gekommen. Sie hatte Shrek etwas Wichtiges zu sagen. Als das Schiff auslief, rief sie ihm nach: „Shrek, ich erwarte ein Baby. Du wirst Vater!"

Shrek lächelte – aber die Wahrheit war, dass er sich noch nie im Leben vor etwas so sehr gefürchtet hatte.

chließlich kamen die Reisenden an ihr Ziel: ein Internat namens Worcestershire Academy. Shrek, Esel und der Gestiefelte Kater gingen über den Schulhof und sahen zwei Rittern beim Kampf zu. Der Kräftige hatte mit seinem schmächtigen Gegner ein leichtes Spiel.

„Stark, stattlich, Führungspersönlichkeit. Sieht er nicht aus wie ein König?", fragte Shrek erfreut.

Aber Shrek irrte sich. Es stellte sich heraus, dass Arthur nicht der Sieger des Turniers war, sondern der schmächtige Verlierer! Arthur machte sich aus dem Staub. Er lief vor dem großen, grünen Oger und seinen lästernden Kameraden davon.

Der Gestiefelte Kater führte alle in die Turnhalle, wo das neue Maskottchen der Schule bekannt gegeben werden sollte.

„Komm raus, Arthur. Ich weiß, dass du hier bist", rief Shrek. „Wir müssen aufbrechen, du bist der neue König von Weit Weit Weg!"

„Artie soll König sein?", rief ein Schüler. „Wohl eher Bürgermeister von Verliererhausen!"

Die Menge brach in Gelächter aus, aber Artie war das egal. Er konnte sein Glück kaum fassen! Endlich war Schluss mit der Schule, den Wettkämpfen, den Niederlagen, den Hänseleien. „Genießt die Zeit hier, während ich die freie Welt regiere", rief er.

Während Shrek, Esel, der Gestiefelte Kater und Artie sich auf die Rückreise nach Weit Weit Weg machten, besuchten die Prinzessinnen und die Märchenfreunde Fiona. Alle hatten Geschenke für das Baby mitgebracht.

„Zeit für Geschenke!", rief Schneewittchen.

„Ta-tah!", rief Pinocchio, drehte sich um und präsentierte einen Tragesitz, in dem es sich der Pfefferkuchenmann gemütlich gemacht hatte.

„Das wird dem Baby gefallen", sagte der Pfefferkuchenmann.

„Mir gefällt es ja auch!"

„Oh, das ist wirklich lieb von euch, vielen Dank!", sagte Fiona.

Außerhalb des Schlosses gingen finstere Dinge vor.

„Auf geht's, Freunde. Nehmen wir unsere Zukunft in die Hand!", rief Prinz Charming.

Die Märchenbösewichte hatten sich zusammengerottet, um Weit Weit Weg zu erobern. Vom Himmel schwebten Charming, Cyclops und die bösen Hexen auf Besenstielen heran. Verhexte Bäume fielen wie Bomben auf die Stadt.

Die Bewohner der Stadt flohen entsetzt, als die Bösewichte durch die Straßen der Stadt stürmten, um das Schloss zu erobern.

FAR FAR AWAY

Die Märchenfreunde bereiteten sich auf den bevorstehenden Angriff vor. Sie verbarrikadierten die Tür mit schweren Möbeln. Die Party war vorbei!

Der Pfefferkuchenmann und seine Freunde blieben zurück, während Fiona, die Königin und die Prinzessinnen durch einen Geheimgang hinter dem Kamin flohen. Als sie die Tür hinter sich schlossen, stürmten Charming und seine Bösewichte in den Raum.

„Wo sind Shrek und Fiona?", schrie Charming und zeigte auf Pinocchios Brust. Eins der drei Schweinchen verriet sich.

„Waaas? Er holt den nächsten Thronerben?", wiederholte Charming.

„Nein!", log Pinocchio, und seine Nase wurde länger und länger.

Auf der Rückreise erzählten Esel und der Gestiefelte Kater Artie vom Leben als König.

„Du wirst ein Leben in Luxus führen. Die besten Köche werden deine Lieblingsspeisen kochen, und königliche Vorkoster probieren alles, damit du nicht vergiftet wirst", erklärte Esel.

„Und deine Leibwächter werden dich mit ihrem eigenen Leben beschützen", fügte der Gestiefelte Kater hinzu.

Gift? Leibwächter? Artie bekam es mit der Angst zu tun. Vielleicht gab es doch noch Schlimmeres als die Schule? Er versuchte, das Schiff zu wenden, aber das ließ Shrek nicht zu. Die beiden kämpften um das Steuer, bis das Schiff außer Kontrolle geriet und auf einen Felsen auflief.

23

ie Reisenden gelangten sicher ans Ufer, und Artie stapfte wütend in den Wald.
Er kam an ein Häuschen und klopfte an die Tür.

„Hilfe! Hilfe! HILFE! ... Mr. Merlin?", rief er, als ein alter Mann die Tür öffnete.
Es war der ehemalige Zauberlehrer seiner Schule.

Die Schiffbrüchigen stritten, bis Merlin sie unterbrach. Er bestand
darauf, ihr Problem genauer unter die Lupe zu nehmen. Er zündete ein
großes Feuer an. Artie schaute in den Rauch und sah sich selbst als König
eines Schlosses, das Zähne hatte und ihn fressen wollte. Und Shrek
erkannte die Gelegenheit, ein ernstes Wort von Oger zu künftigem
König zu reden.

„Ich weiß, es ist kaum zu glauben, weil ich so hübsch und freundlich bin. Aber früher hielten die Leute mich für ein Ungeheuer", sagte Shrek. „Artie, nur weil die Leute meinen, du seist ein Monster, heißt das noch lange nicht, dass du wirklich eins bist."

Artie verstand, was Shrek meinte. Sicher, die Kinder in der Schule hatten ihm alle möglichen Spitznamen gegeben – aber das hieß lange nicht, dass sie auch alle auf ihn passten.

Inzwischen liefen Fiona, die Königin und die Prinzessinnen durch die Geheimgänge unter dem Schloss.

„Hier ist es schmutzig", beschwerte sich Cinderella.

„Ich fühle mich hier gar nicht wohl", stimmte Schneewittchen zu. Endlich fand Fiona eine Leiter, über die sie in den Schlosshof gelangten.

Rapunzel lief sofort direkt zum Schloss.

„Kommt, hier entlang!", rief sie und rannte Charming in die Arme.

„Darf ich vorstellen: die neue Königin von Weit Weit Weg", erklärte Charming.

Rapunzel hatte die Prinzessinnen also in eine Falle geführt!

„Shrek wird bald zurückkommen, und dann wird es dir leid tun, Charming", versprach Fiona wütend.

Aber Shrek und seinen Gefährten erging es nicht viel besser. Als sie an Merlins Lagerfeuer erwachten, wurden sie von Piraten und verhexten Bäumen angegriffen.

„Ahhhhhh!", schrie Esel und brachte damit die Lage auf den Punkt.

Die Piraten stürmten vor und schwangen sich durch die Äste, während Kapitän Hook bedrohlich auf seinem Klavier spielte.

„König Charming hat mit dir etwas ganz Besonderes vor, Oger", verriet er.

Der Gestiefelte Kater zog schnell sein Schwert und verteidigte sich. Artie stellte einem Piraten ein Bein. Bald waren Esel, der Gestiefelte Kater und Artie umzingelt. Aber Shrek schaffte es, die Piraten zu besiegen und seine Freunde zu befreien.

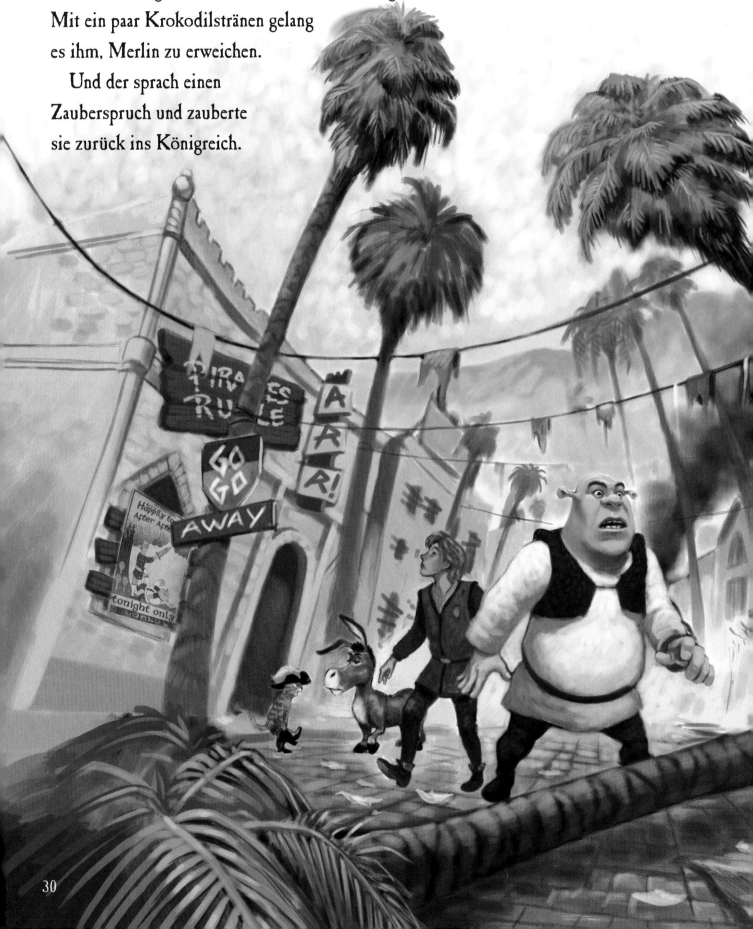

Shrek wusste, dass sie eilig nach Weit Weit Weg gelangen mussten.

Und Artie wusste, dass Merlins Zauber sie dorthin bringen könnte, aber zuerst musste er ihn überzeugen. Also wandte Artie den einzigen Trick an, den er kannte: Er weinte. Mit ein paar Krokodilstränen gelang es ihm, Merlin zu erweichen.

Und der sprach einen Zauberspruch und zauberte sie zurück ins Königreich.

Als Shrek, Artie, Esel und der Gestiefelte Kater in die Stadt kamen, sahen sie ein neues Schild: GEH GEH WEG! Die Häuser waren mit Graffiti beschmiert, und Pinocchio saß eingesperrt in einem Münz-Spielautomaten.

War *dies* der Ort, von dem Artie so viel gehört hatte?

Pinocchio erzählte, dass Charming die Stadt erobert hatte und für diesen Abend etwas Schreckliches plante. Und das Schlimmste: Pinocchio berichtete, dass Fiona im Kerker saß.

Shrek, Esel und dem Gestiefelten Kater gelang es durch eine List, ins Ankleidezimmer des Prinzen zu kommen. Plötzlich stürmten Wächter herein und überwältigten die Freunde.

„Dieser *Knirps* soll der neue König sein?" Charming sah Artie ungläubig an.

Shrek fasste einen Plan, der Arties Gefühle verletzen würde. Aber er wollte nicht, dass Charming dem Jungen etwas antat.

„Du bist nicht der wirkliche König. Das bin nämlich ich", sagte Shrek zu Artie. „Ich brauchte einen Dummen, der mich vertritt, da kamst du mir gelegen. Und jetzt zisch ab!"

Artie war verletzt und verwirrt. Aber er wusste, wann er unerwünscht war. Die Wärter ließen ihn frei, und Artie ging mit hängendem Kopf hinaus.

33

Im Kerker saßen die Prinzessinnen und jammerten. Da ging die Tür auf, und Esel und der Gestiefelte Kater wurden hereingestoßen.

„Charming hat Shrek gefangen genommen, Prinzessin. Und er will ihn heute Abend umbringen – vor den versammelten Untertanen!", sagte Esel.

Sie mussten ausbrechen, und zwar schnell. Ehe die anderen wussten, wie ihnen geschah, holte die Königin tief Luft und schlug mit dem Kopf ein großes Loch in die Wand.

„Du hast gedacht, du hättest dein Kampftalent von deinem Vater geerbt, nicht wahr?", sagte die Königin zu Fiona.

„Los, Mädels. Nehmen wir die Sache in die Hand. Immerhin geht es darum, dass unsere Geschichte gut ausgeht!", rief Fiona.

Esel und der Gestiefelte Kater befreiten zuerst den Drachen und die Dresel und dann die anderen Märchenfreunde. Plötzlich sahen sie Artie, aber der war wütend, weil er belogen worden war.

„Ihr beide wusstet die ganze Zeit, was hier vorgeht!", schimpfte er.

Esel und der Gestiefelte Kater erklärten, dass Shrek Artie nur hatte schützen wollen, und schließlich verstand der Junge.

Inzwischen kämpften sich die Prinzessinnen den Weg frei.
Die Palastwachen konnten ihrer Wut nicht standhalten.
Die Prinzessinnen erreichten gerade rechtzeitig
zum Vorstellungsbeginn die Bühne.

Charmings Schauspiel „Endlich geht doch alles gut aus" begann pünktlich. Die verhexten Bäume sangen, und die bösen Zwerge tanzten. Rapunzel stand hoch auf ihrem Turm, und Charming war bereit, sie vor dem schrecklichen Oger – Shrek – zu retten.

In Ketten erschien Shrek auf der Bühne.

„Jetzt wirst du Schmerzen kennen lernen, die du niiiiie vergiiiiisst!", sang Charming aus vollem Hals.

„Schlimmer als deine grässliche Vorstellung kann es ja nicht werden", spottete Shrek.

Die Zuschauer lachten. Aber sie lachten nicht mit Charming, sie lachten ihn aus!

Charming riss sich zusammen und fuhr mit seinem Schauspiel fort.

„Mach dich bereit, Ungeheuer, deine Zeit ist uuummm!", sang er.

„Oh, Gnade! Bring mich um, bevor du weitersingst!", sagte Shrek spöttisch.

Charming wurde wütend. „Jetzt wirst du erfahren, wie es ist, wenn einem alles, was man liebt, genommen wird!", schrie er und hob sein Schwert.

In diesem Moment sprangen Fiona und die Prinzessinnen aus den Kulissen hervor. Auch die Märchenfreunde kletterten auf die Bühne. Sie machten sich bereit für den Kampf gegen die Bösewichte.

„Warum nimmst du mir nicht die Ketten ab, und wir regeln die Angelegenheit von Oger zu Mann?", fragte Shrek.

Aber Charming war zu feige. Er klatschte in die Hände, um seine bösen Gesellen zu rufen. Sie rannten auf die Bühne und nahmen Fiona, die Prinzessinnen und die Märchenfreunde gefangen.

„*Dieses Mal* wirst du mir den Abend nicht verderben. Dieses Mal geht *meine* Geschichte gut aus!", erklärte Charming.

Es sah nicht gut aus für Shrek. Doch plötzlich hörte man eine Stimme aus der Höhe ...

„Stopp!", rief Artie, sprang auf die Bühne und landete ungeschickt.

„Wollt ihr euer ganzes Leben lang Bösewichte sein? Wolltet ihr noch nie ein anderes Leben führen?", fragte Artie. Die Bösewichte hörten ihm zu. Ein verhexter Baum packte Charming am Arm und hielt ihn fest.

Ein anderer verhexter Baum erhob zuerst die Stimme: „Es ist nicht leicht, ehrliche Arbeit zu bekommen", erklärte er, „wenn man die ganze Welt gegen sich hat." Die anderen nickten.

„Ein guter Freund hat mir einmal gesagt, dass du noch lange kein Bösewicht sein musst, nur weil die Leute dich wie einen behandeln", sagte Artie.

Ein Bösewicht nach dem anderen ließ seine Waffe fallen und erzählte von seinen Hoffnungen und Träumen. Der Kopflose Reiter wollte Gitarre spielen. Die böse Königin wollte ein Hotel eröffnen. Und Kapitän Hook wollte Narzissen züchten.

Shrek gab dem Drachen ein Zeichen. Mit einem Schwanzhieb fiel Rapunzels Turm um – genau auf Charming. Er war besiegt, und das hatte Artie geschafft! Gemeinsam hoben alle Märchenfiguren den neuen König auf ihre Schultern und jubelten: „Art-ie! Art-ie! Art-ie!"

Bald darauf brachte Fiona drei Ogerbabys zur Welt. In Shreks und Fionas Haus im Sumpf ging es nun lebhaft zu.

Esel und der Gestiefelte Kater kamen oft zu Besuch, auch die Königin schaute gern vorbei. Es dauerte gar nicht lange, bis das Vertretungs-Königspaar sich an den Alltag mit Füttern, Bäuerchen und Windeln gewöhnt hatte.

Eigentlich hatte Shrek sich sein Leben anders vorgestellt. Aber so war es besser. Viel besser!

HarperCollins Children's Books, a division of HarperCollins Publishers
1350 Avenue of the Americas, New York, NY 10019
Titel der Originalausgabe: Shrek the Third, The Movie Storybook

Verantwortlich für diese Übersetzung:
© XENOS Verlagsgesellschaft mbH
Am Hehsel 40, 22339 Hamburg
Übersetzung: Wiebke Krabbe, Damlos
Layout und Satz: Olaf Hille, Hamburg
Printed in Italy

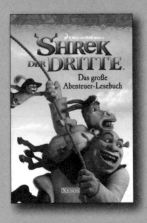

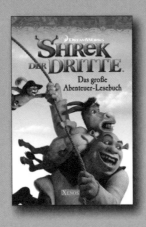

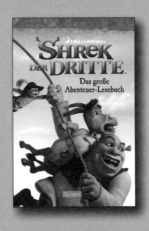

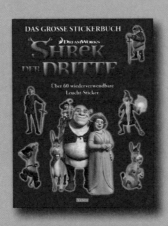

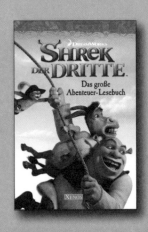